Maximes

Dans la même série (extrait)

La Rochefoucauld

Maximes

Maximes
(édition de 1678)

Texte établi par Jacques Truchet

Réflexions morales

Nos vertus ne sont, le plus souvent,
que des vices déguisés.

1. Ce que nous prenons pour des vertus n'est souvent qu'un assemblage de diverses actions et de divers intérêts, que la fortune ou notre industrie savent arranger; et ce n'est pas toujours par valeur et par chasteté que les hommes sont vaillants, et que les femmes sont chastes.

2. L'amour-propre est le plus grand de tous les flatteurs.

3. Quelque découverte que l'on ait faite dans le pays de l'amour-propre, il y reste encore bien des terres inconnues.

4. L'amour-propre est plus habile que le plus habile homme du monde.

5. La durée de nos passions ne dépend pas plus de nous que la durée de notre vie.

6. La passion fait souvent un fou du plus habile homme, et rend souvent les plus sots habiles.

7. Ces grandes et éclatantes actions qui éblouissent les yeux sont représentées par les politiques comme les effets des grands desseins, au lieu que ce sont d'ordinaire les effets de l'humeur et des passions. Ainsi la guerre d'Auguste et d'Antoine, qu'on rapporte à l'ambition qu'ils avaient de se rendre maîtres du monde, n'était peut-être qu'un effet de jalousie.

8. Les passions sont les seuls orateurs qui persuadent toujours. Elles sont comme un art de la nature dont les règles sont

infaillibles ; et l'homme le plus simple qui a de la passion persuade mieux que le plus éloquent qui n'en a point.

9. Les passions ont une injustice et un propre intérêt qui fait qu'il est dangereux de les suivre, et qu'on s'en doit défier lors même qu'elles paraissent les plus raisonnables.

10. Il y a dans le cœur humain une génération perpétuelle de passions, en sorte que la ruine de l'une est presque toujours l'établissement d'une autre.

11. Les passions en engendrent souvent qui leur sont contraires. L'avarice produit quelquefois la prodigalité, et la prodigalité l'avarice ; on est souvent ferme par faiblesse, et audacieux par timidité.

12. Quelque soin que l'on prenne de couvrir ses passions par des apparences de piété et d'honneur, elles paraissent toujours au travers de ces voiles.

13. Notre amour-propre souffre plus impatiemment la condamnation de nos goûts que de nos opinions.

14. Les hommes ne sont pas seulement sujets à perdre le souvenir des bienfaits et des injures ; ils haïssent même ceux qui les ont obligés, et cessent de haïr ceux qui leur ont fait des outrages. L'application à récompenser le bien, et à se venger du mal, leur paraît une servitude à laquelle ils ont peine de se soumettre.

15. La clémence des princes n'est souvent qu'une politique pour gagner l'affection des peuples.

16. Cette clémence dont on fait une vertu se pratique tantôt par vanité, quelquefois par paresse, souvent par crainte, et presque toujours par tous les trois ensemble.

17. La modération des personnes heureuses vient du calme que la bonne fortune donne à leur humeur.

18. La modération est une crainte de tomber dans l'envie et dans le mépris que méritent ceux qui s'enivrent de leur bonheur; c'est une vaine ostentation de la force de notre esprit; et enfin la modération des hommes dans leur plus haute élévation est un désir de paraître plus grands que leur fortune.

19. Nous avons tous assez de force pour supporter les maux d'autrui.

20. La constance des sages n'est que l'art de renfermer leur agitation dans le cœur.

21. Ceux qu'on condamne au supplice affectent quelquefois une constance et un mépris de la mort qui n'est en effet que la crainte de l'envisager. De sorte qu'on peut dire que cette constance et ce mépris sont à leur esprit ce que le bandeau est à leurs yeux.

22. La philosophie triomphe aisément des maux passés et des maux à venir. Mais les maux présents triomphent d'elle.

23. Peu de gens connaissent la mort. On ne la souffre pas ordinairement par résolution, mais par stupidité et par coutume; et la plupart des hommes meurent parce qu'on ne peut s'empêcher de mourir.

24. Lorsque les grands hommes se laissent abattre par la longueur de leurs infortunes, ils font voir qu'ils ne les soutenaient que par la force de leur ambition, et non par celle de leur âme, et qu'à une grande vanité près les héros sont faits comme les autres hommes.

25. Il faut de plus grandes vertus pour soutenir la bonne fortune que la mauvaise.

26. Le soleil ni la mort ne se peuvent regarder fixement.

27. On fait souvent vanité des passions même les plus criminelles; mais l'envie est une passion timide et honteuse que l'on n'ose jamais avouer.

28. La jalousie est en quelque manière juste et raisonnable, puisqu'elle ne tend qu'à conserver un bien qui nous appartient, ou que nous croyons nous appartenir; au lieu que l'envie est une fureur qui ne peut souffrir le bien des autres.

29. Le mal que nous faisons ne nous attire pas tant de persécution et de haine que nos bonnes qualités.

30. Nous avons plus de force que de volonté; et c'est souvent pour nous excuser à nous-mêmes que nous nous imaginons que les choses sont impossibles.

31. Si nous n'avions point de défauts, nous ne prendrions pas tant de plaisir à en remarquer dans les autres.

32. La jalousie se nourrit dans les doutes, et elle devient fureur, ou elle finit, sitôt qu'on passe du doute à la certitude.

33. L'orgueil se dédommage toujours et ne perd rien lors même qu'il renonce à la vanité.

34. Si nous n'avions point d'orgueil, nous ne nous plaindrions pas de celui des autres.

35. L'orgueil est égal dans tous les hommes, et il n'y a de différence qu'aux moyens et à la manière de le mettre au jour.

36. Il semble que la nature, qui a si sagement disposé les organes de notre corps pour nous rendre heureux, nous ait aussi donné l'orgueil pour nous épargner la douleur de connaître nos imperfections.

37. L'orgueil a plus de part que la bonté aux remontrances que nous faisons à ceux qui commettent des fautes; et nous ne les reprenons pas tant pour les en corriger que pour leur persuader que nous en sommes exempts.

38. Nous promettons selon nos espérances, et nous tenons selon nos craintes.

39. L'intérêt parle toutes sortes de langues, et joue toutes sortes de personnages, même celui de désintéressé.

40. L'intérêt, qui aveugle les uns, fait la lumière des autres.

41. Ceux qui s'appliquent trop aux petites choses deviennent ordinairement incapables des grandes.

42. Nous n'avons pas assez de force pour suivre toute notre raison.

43. L'homme croit souvent se conduire lorsqu'il est conduit; et pendant que par son esprit il tend à un but, son cœur l'entraîne insensiblement à un autre.

44. La force et la faiblesse de l'esprit sont mal nommées; elles ne sont en effet que la bonne ou la mauvaise disposition des organes du corps.

45. Le caprice de notre humeur est encore plus bizarre que celui de la fortune.

46. L'attachement ou l'indifférence que les philosophes avaient pour la vie n'était qu'un goût de leur amour-propre, dont on ne doit non plus disputer que du goût de la langue ou du choix des couleurs.

47. Notre humeur met le prix à tout ce qui nous vient de la fortune.

48. La félicité est dans le goût et non pas dans les choses; et c'est par avoir ce qu'on aime qu'on est heureux, et non par avoir ce que les autres trouvent aimable.

49. On n'est jamais si heureux ni si malheureux qu'on s'imagine.

50. Ceux qui croient avoir du mérite se font un honneur d'être malheureux, pour persuader aux autres et à eux-mêmes qu'ils sont dignes d'être en butte à la fortune.

51. Rien ne doit tant diminuer la satisfaction que nous avons de nous-mêmes, que de voir que nous désapprouvons dans un temps ce que nous approuvions dans un autre.

52. Quelque différence qui paraisse entre les fortunes, il y a néanmoins une certaine compensation de biens et de maux qui les rend égales.

53. Quelques grands avantages que la nature donne, ce n'est pas elle seule, mais la fortune avec elle qui fait les héros.

54. Le mépris des richesses était dans les philosophes un désir caché de venger leur mérite de l'injustice de la fortune par le mépris des mêmes biens dont elle les privait; c'était un secret pour se garantir de l'avilissement de la pauvreté; c'était un chemin détourné pour aller à la considération qu'ils ne pouvaient avoir par les richesses.

55. La haine pour les favoris n'est autre chose que l'amour de la faveur. Le dépit de ne pas la posséder se console et s'adoucit par le mépris que l'on témoigne de ceux qui la possèdent; et nous leur refusons nos hommages, ne pouvant pas leur ôter ce qui leur attire ceux de tout le monde.

56. Pour s'établir dans le monde, on fait tout ce que l'on peut pour y paraître établi.

57. Quoique les hommes se flattent de leurs grandes actions, elles ne sont pas souvent les effets d'un grand dessein, mais des effets du hasard.

58. Il semble que nos actions aient des étoiles heureuses ou malheureuses à qui elles doivent une grande partie de la louange et du blâme qu'on leur donne.

59. Il n'y a point d'accidents si malheureux dont les habiles gens ne tirent quelque avantage, ni de si heureux que les imprudents ne puissent tourner à leur préjudice.

60. La fortune tourne tout à l'avantage de ceux qu'elle favorise.

61. Le bonheur et le malheur des hommes ne dépendent pas moins de leur humeur que de la fortune.

62. La sincérité est une ouverture de cœur. On la trouve en fort peu de gens; et celle que l'on voit d'ordinaire n'est qu'une fine dissimulation pour attirer la confiance des autres.

63. L'aversion du mensonge est souvent une imperceptible ambition de rendre nos témoignages considérables, et d'attirer à nos paroles un respect de religion.

64. La vérité ne fait pas tant de bien dans le monde que ses apparences y font de mal.

65. Il n'y a point d'éloges qu'on ne donne à la prudence. Cependant elle ne saurait nous assurer du moindre événement.

66. Un habile homme doit régler le rang de ses intérêts et les conduire chacun dans son ordre. Notre avidité le trouble souvent en nous faisant courir à tant de choses à la fois que, pour désirer trop les moins importantes, on manque les plus considérables.

67. La bonne grâce est au corps ce que le bon sens est à l'esprit.

68. Il est difficile de définir l'amour. Ce qu'on en peut dire est que dans l'âme c'est une passion de régner, dans les esprits c'est une sympathie, et dans le corps ce n'est qu'une envie cachée et délicate de posséder ce que l'on aime après beaucoup de mystères.

69. S'il y a un amour pur et exempt du mélange de nos autres passions, c'est celui qui est caché au fond du cœur, et que nous ignorons nous-mêmes.

70. Il n'y a point de déguisement qui puisse longtemps cacher l'amour où il est, ni le feindre où il n'est pas.

71. Il n'y a guère de gens qui ne soient honteux de s'être aimés quand ils ne s'aiment plus.

72. Si on juge de l'amour par la plupart de ses effets, il ressemble plus à la haine qu'à l'amitié.

73. On peut trouver des femmes qui n'ont jamais eu de galanterie ; mais il est rare d'en trouver qui n'en aient jamais eu qu'une.

74. Il n'y a que d'une sorte d'amour, mais il y en a mille différentes copies.

75. L'amour aussi bien que le feu ne peut subsister sans un mouvement continuel ; et il cesse de vivre dès qu'il cesse d'espérer ou de craindre.

76. Il est du véritable amour comme de l'apparition des esprits : tout le monde en parle, mais peu de gens en ont vu.

77. L'amour prête son nom à un nombre infini de commerces qu'on lui attribue, et où il n'a non plus de part que le Doge à ce qui se fait à Venise.

78. L'amour de la justice n'est en la plupart des hommes que la crainte de souffrir l'injustice.

79. Le silence est le parti le plus sûr de celui qui se défie de soi-même.

80. Ce qui nous rend si changeants dans nos amitiés, c'est qu'il est difficile de connaître les qualités de l'âme, et facile de connaître celles de l'esprit.

81. Nous ne pouvons rien aimer que par rapport à nous, et nous ne faisons que suivre notre goût et notre plaisir quand

nous préférons nos amis à nous-mêmes ; c'est néanmoins par cette préférence seule que l'amitié peut être vraie et parfaite.

82. La réconciliation avec nos ennemis n'est qu'un désir de rendre notre condition meilleure, une lassitude de la guerre, et une crainte de quelque mauvais événement.

83. Ce que les hommes ont nommé amitié n'est qu'une société, qu'un ménagement réciproque d'intérêts, et qu'un échange de bons offices ; ce n'est enfin qu'un commerce où l'amour-propre se propose toujours quelque chose à gagner.

84. Il est plus honteux de se défier de ses amis que d'en être trompé.

85. Nous nous persuadons souvent d'aimer les gens plus puissants que nous ; et néanmoins c'est l'intérêt seul qui produit notre amitié. Nous ne nous donnons pas à eux pour le bien que nous leur voulons faire, mais pour celui que nous en voulons recevoir.

86. Notre défiance justifie la tromperie d'autrui.

87. Les hommes ne vivraient pas longtemps en société s'ils n'étaient les dupes les uns des autres.

88. L'amour-propre nous augmente ou nous diminue les bonnes qualités de nos amis à proportion de la satisfaction que nous avons d'eux ; et nous jugeons de leur mérite par la manière dont ils vivent avec nous.

89. Tout le monde se plaint de sa mémoire, et personne ne se plaint de son jugement.

90. Nous plaisons plus souvent dans le commerce de la vie par nos défauts que par nos bonnes qualités.

91. La plus grande ambition n'en a pas la moindre apparence lorsqu'elle se rencontre dans une impossibilité absolue d'arriver où elle aspire.

92. Détromper un homme préoccupé de son mérite est lui rendre un aussi mauvais office que celui que l'on rendit à ce fou d'Athènes, qui croyait que tous les vaisseaux qui arrivaient dans le port étaient à lui.

93. Les vieillards aiment à donner de bons préceptes, pour se consoler de n'être plus en état de donner de mauvais exemples.

94. Les grands noms abaissent, au lieu d'élever, ceux qui ne les savent pas soutenir.

95. La marque d'un mérite extraordinaire est de voir que ceux qui l'envient le plus sont contraints de le louer.

96. Tel homme est ingrat, qui est moins coupable de son ingratitude que celui qui lui a fait du bien.

97. On s'est trompé lorsqu'on a cru que l'esprit et le jugement étaient deux choses différentes. Le jugement n'est que la grandeur de la lumière de l'esprit ; cette lumière pénètre le fond des choses ; elle y remarque tout ce qu'il faut remarquer et aperçoit celles qui semblent imperceptibles. Ainsi il faut demeurer d'accord que c'est l'étendue de la lumière de l'esprit qui produit tous les effets qu'on attribue au jugement.

98. Chacun dit du bien de son cœur, et personne n'en ose dire de son esprit.

99. La politesse de l'esprit consiste à penser des choses honnêtes et délicates.

100. La galanterie de l'esprit est de dire des choses flatteuses d'une manière agréable.

101. Il arrive souvent que des choses se présentent plus achevées à notre esprit qu'il ne les pourrait faire avec beaucoup d'art.

102. L'esprit est toujours la dupe du cœur.

103. Tous ceux qui connaissent leur esprit ne connaissent pas leur cœur.

104. Les hommes et les affaires ont leur point de perspective. Il y en a qu'il faut voir de près pour en bien juger, et d'autres dont on ne juge jamais si bien que quand on en est éloigné.

105. Celui-là n'est pas raisonnable à qui le hasard fait trouver la raison, mais celui qui la connaît, qui la discerne, et qui la goûte.

106. Pour bien savoir les choses, il en faut savoir le détail; et comme il est presque infini, nos connaissances sont toujours superficielles et imparfaites.

107. C'est une espèce de coquetterie de faire remarquer qu'on n'en fait jamais.

108. L'esprit ne saurait jouer longtemps le personnage du cœur.

109. La jeunesse change ses goûts par l'ardeur du sang, et la vieillesse conserve les siens par l'accoutumance.

110. On ne donne rien si libéralement que ses conseils.

111. Plus on aime une maîtresse, et plus on est près de la haïr.

112. Les défauts de l'esprit augmentent en vieillissant comme ceux du visage.

113. Il y a de bons mariages, mais il n'y en a point de délicieux.

114. On ne se peut consoler d'être trompé par ses ennemis, et trahi par ses amis; et l'on est souvent satisfait de l'être par soi-même.

115. Il est aussi facile de se tromper soi-même sans s'en apercevoir qu'il est difficile de tromper les autres sans qu'ils s'en aperçoivent.

116. Rien n'est moins sincère que la manière de demander et de donner des conseils. Celui qui en demande paraît avoir une déférence respectueuse pour les sentiments de son ami, bien qu'il ne pense qu'à lui faire approuver les siens, et à le rendre garant de sa conduite. Et celui qui conseille paye la confiance qu'on lui témoigne d'un zèle ardent et désintéressé, quoiqu'il ne cherche le plus souvent dans les conseils qu'il donne que son propre intérêt ou sa gloire.

117. La plus subtile de toutes les finesses est de savoir bien feindre de tomber dans les pièges que l'on nous tend, et on n'est jamais si aisément trompé que quand on songe à tromper les autres.

118. L'intention de ne jamais tromper nous expose à être souvent trompés.

119. Nous sommes si accoutumés à nous déguiser aux autres qu'enfin nous nous déguisons à nous-mêmes.

120. L'on fait plus souvent des trahisons par faiblesse que par un dessein formé de trahir.

121. On fait souvent du bien pour pouvoir impunément faire du mal.

122. Si nous résistons à nos passions, c'est plus par leur faiblesse que par notre force.

123. On n'aurait guère de plaisir si on ne se flattait jamais.

124. Les plus habiles affectent toute leur vie de blâmer les finesses pour s'en servir en quelque grande occasion et pour quelque grand intérêt.

125. L'usage ordinaire de la finesse est la marque d'un petit esprit, et il arrive presque toujours que celui qui s'en sert pour se couvrir en un endroit, se découvre en un autre.

126. Les finesses et les trahisons ne viennent que de manque d'habileté.

127. Le vrai moyen d'être trompé, c'est de se croire plus fin que les autres.

128. La trop grande subtilité est une fausse délicatesse, et la véritable délicatesse est une solide subtilité.

129. Il suffit quelquefois d'être grossier pour n'être pas trompé par un habile homme.

130. La faiblesse est le seul défaut que l'on ne saurait corriger.

131. Le moindre défaut des femmes qui se sont abandonnées à faire l'amour, c'est de faire l'amour.

132. Il est plus aisé d'être sage pour les autres que de l'être pour soi-même.

133. Les seules bonnes copies sont celles qui nous font voir le ridicule des méchants originaux.

134. On n'est jamais si ridicule par les qualités que l'on a que par celles que l'on affecte d'avoir.

135. On est quelquefois aussi différent de soi-même que des autres.

136. Il y a des gens qui n'auraient jamais été amoureux s'ils n'avaient jamais entendu parler de l'amour.

137. On parle peu quand la vanité ne fait pas parler.

138. On aime mieux dire du mal de soi-même que de n'en point parler.

139. Une des choses qui fait que l'on trouve si peu de gens qui paraissent raisonnables et agréables dans la conversation, c'est

qu'il n'y a presque personne qui ne pense plutôt à ce qu'il veut dire qu'à répondre précisément à ce qu'on lui dit. Les plus habiles et les plus complaisants se contentent de montrer seulement une mine attentive, au même temps que l'on voit dans leurs yeux et dans leur esprit un égarement pour ce qu'on leur dit, et une précipitation pour retourner à ce qu'ils veulent dire; au lieu de considérer que c'est un mauvais moyen de plaire aux autres ou de les persuader, que de chercher si fort à se plaire à soi-même, et que bien écouter et bien répondre est une des plus grandes perfections qu'on puisse avoir dans la conversation.

140. Un homme d'esprit serait souvent bien embarrassé sans la compagnie des sots.

141. Nous nous vantons souvent de ne nous point ennuyer; et nous sommes si glorieux que nous ne voulons pas nous trouver de mauvaise compagnie.

142. Comme c'est le caractère des grands esprits de faire entendre en peu de paroles beaucoup de choses, les petits esprits au contraire ont le don de beaucoup parler, et de ne rien dire.

143. C'est plutôt par l'estime de nos propres sentiments que nous exagérons les bonnes qualités des autres, que par l'estime de leur mérite; et nous voulons nous attirer des louanges, lorsqu'il semble que nous leur en donnons.

144. On n'aime point à louer, et on ne loue jamais personne sans intérêt. La louange est une flatterie habile, cachée, et délicate, qui satisfait différemment celui qui la donne, et celui qui la reçoit. L'un la prend comme une récompense de son mérite; l'autre la donne pour faire remarquer son équité et son discernement.

145. Nous choisissons souvent des louanges empoisonnées qui font voir par contrecoup en ceux que nous louons des défauts que nous n'osons découvrir d'une autre sorte.

146. On ne loue d'ordinaire que pour être loué.

147. Peu de gens sont assez sages pour préférer le blâme qui leur est utile à la louange qui les trahit.

148. Il y a des reproches qui louent, et des louanges qui médisent.

149. Le refus des louanges est un désir d'être loué deux fois.

150. Le désir de mériter les louanges qu'on nous donne fortifie notre vertu; et celles que l'on donne à l'esprit, à la valeur, et à la beauté contribuent à les augmenter.

151. Il est plus difficile de s'empêcher d'être gouverné que de gouverner les autres.

152. Si nous ne nous flattions point nous-mêmes, la flatterie des autres ne nous pourrait nuire.

153. La nature fait le mérite, et la fortune le met en œuvre.

154. La fortune nous corrige de plusieurs défauts que la raison ne saurait corriger.

155. Il y a des gens dégoûtants avec du mérite, et d'autres qui plaisent avec des défauts.

156. Il y a des gens dont tout le mérite consiste à dire et à faire des sottises utilement, et qui gâteraient tout s'ils changeaient de conduite.

157. La gloire des grands hommes se doit toujours mesurer aux moyens dont ils se sont servis pour l'acquérir.

158. La flatterie est une fausse monnaie qui n'a de cours que par notre vanité.

159. Ce n'est pas assez d'avoir de grandes qualités; il en faut avoir l'économie.

160. Quelque éclatante que soit une action, elle ne doit pas passer pour grande lorsqu'elle n'est pas l'effet d'un grand dessein.

161. Il doit y avoir une certaine proportion entre les actions et les desseins si on en veut tirer tous les effets qu'elles peuvent produire.

162. L'art de savoir bien mettre en œuvre de médiocres qualités dérobe l'estime et donne souvent plus de réputation que le véritable mérite.

163. Il y a une infinité de conduites qui paraissent ridicules, et dont les raisons cachées sont très sages et très solides.

164. Il est plus facile de paraître digne des emplois qu'on n'a pas que de ceux que l'on exerce.

165. Notre mérite nous attire l'estime des honnêtes gens, et notre étoile celle du public.

166. Le monde récompense plus souvent les apparences du mérite que le mérite même.

167. L'avarice est plus opposée à l'économie que la libéralité.

168. L'espérance, toute trompeuse qu'elle est, sert au moins à nous mener à la fin de la vie par un chemin agréable.

169. Pendant que la paresse et la timidité nous retiennent dans notre devoir, notre vertu en a souvent tout l'honneur.

170. Il est difficile de juger si un procédé net, sincère et honnête est un effet de probité ou d'habileté.

171. Les vertus se perdent dans l'intérêt, comme les fleuves se perdent dans la mer.

172. Si on examine bien les divers effets de l'ennui, on trouvera qu'il fait manquer à plus de devoirs que l'intérêt.

173. Il y a diverses sortes de curiosité : l'une d'intérêt, qui nous porte à désirer d'apprendre ce qui nous peut être utile, et l'autre d'orgueil, qui vient du désir de savoir ce que les autres ignorent.

174. Il vaut mieux employer notre esprit à supporter les infortunes qui nous arrivent qu'à prévoir celles qui nous peuvent arriver.

175. La constance en amour est une inconstance perpétuelle, qui fait que notre cœur s'attache successivement à toutes les qualités de la personne que nous aimons, donnant tantôt la préférence à l'une, tantôt à l'autre ; de sorte que cette constance n'est qu'une inconstance arrêtée et renfermée dans un même sujet.

176. Il y a deux sortes de constance en amour : l'une vient de ce que l'on trouve sans cesse dans la personne que l'on aime de nouveaux sujets d'aimer, et l'autre vient de ce que l'on se fait un honneur d'être constant.

177. La persévérance n'est digne ni de blâme ni de louange, parce qu'elle n'est que la durée des goûts et des sentiments, qu'on ne s'ôte et qu'on ne se donne point.

178. Ce qui nous fait aimer les nouvelles connaissances n'est pas tant la lassitude que nous avons des vieilles ou le plaisir de changer, que le dégoût de n'être pas assez admirés de ceux qui nous connaissent trop, et l'espérance de l'être davantage de ceux qui ne nous connaissent pas tant.

179. Nous nous plaignons quelquefois légèrement de nos amis pour justifier par avance notre légèreté.

180. Notre repentir n'est pas tant un regret du mal que nous avons fait, qu'une crainte de celui qui nous en peut arriver.

181. Il y a une inconstance qui vient de la légèreté de l'esprit ou de sa faiblesse, qui lui fait recevoir toutes les opinions d'autrui, et il y en a une autre, qui est plus excusable, qui vient du dégoût des choses.

182. Les vices entrent dans la composition des vertus comme les poisons entrent dans la composition des remèdes. La prudence les assemble et les tempère, et elle s'en sert utilement contre les maux de la vie.

183. Il faut demeurer d'accord à l'honneur de la vertu que les plus grands malheurs des hommes sont ceux où ils tombent par les crimes.

184. Nous avouons nos défauts pour réparer par notre sincérité le tort qu'ils nous font dans l'esprit des autres.

185. Il y a des héros en mal comme en bien.

186. On ne méprise pas tous ceux qui ont des vices; mais on méprise tous ceux qui n'ont aucune vertu.

187. Le nom de la vertu sert à l'intérêt aussi utilement que les vices.

188. La santé de l'âme n'est pas plus assurée que celle du corps; et quoique l'on paraisse éloigné des passions, on n'est pas moins en danger de s'y laisser emporter que de tomber malade quand on se porte bien.

189. Il semble que la nature ait prescrit à chaque homme dès sa naissance des bornes pour les vertus et pour les vices.

190. Il n'appartient qu'aux grands hommes d'avoir de grands défauts.

191. On peut dire que les vices nous attendent dans le cours de la vie comme des hôtes chez qui il faut successivement loger; et je doute que l'expérience nous les fît éviter s'il nous était permis de faire deux fois le même chemin.

192. Quand les vices nous quittent, nous nous flattons de la créance que c'est nous qui les quittons.

193. Il y a des rechutes dans les maladies de l'âme, comme dans celles du corps. Ce que nous prenons pour notre guérison n'est le plus souvent qu'un relâche ou un changement de mal.

194. Les défauts de l'âme sont comme les blessures du corps : quelque soin qu'on prenne de les guérir, la cicatrice paraît toujours, et elles sont à tout moment en danger de se rouvrir.

195. Ce qui nous empêche souvent de nous abandonner à un seul vice est que nous en avons plusieurs.

196. Nous oublions aisément nos fautes lorsqu'elles ne sont sues que de nous.

197. Il y a des gens de qui l'on peut ne jamais croire du mal sans l'avoir vu ; mais il n'y en a point en qui il nous doive surprendre en le voyant.

198. Nous élevons la gloire des uns pour abaisser celle des autres. Et quelquefois on louerait moins Monsieur le Prince et M. de Turenne si on ne les voulait point blâmer tous deux.

199. Le désir de paraître habile empêche souvent de le devenir.

200. La vertu n'irait pas si loin si la vanité ne lui tenait compagnie.

201. Celui qui croit pouvoir trouver en soi-même de quoi se passer de tout le monde se trompe fort ; mais celui qui croit qu'on ne peut se passer de lui se trompe encore davantage.

202. Les faux honnêtes gens sont ceux qui déguisent leurs défauts aux autres et à eux-mêmes. Les vrais honnêtes gens sont ceux qui les connaissent parfaitement et les confessent.

203. Le vrai honnête homme est celui qui ne se pique de rien.

204. La sévérité des femmes est un ajustement et un fard qu'elles ajoutent à leur beauté.

205. L'honnêteté des femmes est souvent l'amour de leur réputation et de leur repos.

206. C'est être véritablement honnête homme que de vouloir être toujours exposé à la vue des honnêtes gens.

207. La folie nous suit dans tous les temps de la vie. Si quelqu'un paraît sage, c'est seulement parce que ses folies sont proportionnées à son âge et à sa fortune.

208. Il y a des gens niais qui se connaissent, et qui emploient habilement leur niaiserie.

209. Qui vit sans folie n'est pas si sage qu'il croit.

210. En vieillissant on devient plus fou, et plus sage.

211. Il y a des gens qui ressemblent aux vaudevilles, qu'on ne chante qu'un certain temps.

212. La plupart des gens ne jugent des hommes que par la vogue qu'ils ont, ou par leur fortune.

213. L'amour de la gloire, la crainte de la honte, le dessein de faire fortune, le désir de rendre notre vie commode et agréable, et l'envie d'abaisser les autres, sont souvent les causes de cette valeur si célèbre parmi les hommes.

214. La valeur est dans les simples soldats un métier périlleux qu'ils ont pris pour gagner leur vie.

215. La parfaite valeur et la poltronnerie complète sont deux extrémités où l'on arrive rarement. L'espace qui est entre-deux est vaste, et contient toutes les autres espèces de courage : il n'y a pas moins de différence entre elles qu'entre les visages et les humeurs. Il y a des hommes qui s'exposent volontiers au

commencement d'une action, et qui se relâchent et se rebutent aisément par sa durée. Il y en a qui sont contents quand ils ont satisfait à l'honneur du monde, et qui font fort peu de chose au-delà. On en voit qui ne sont pas toujours également maîtres de leur peur. D'autres se laissent quelquefois entraîner à des terreurs générales. D'autres vont à la charge parce qu'ils n'osent demeurer dans leurs postes. Il s'en trouve à qui l'habitude des moindres périls affermit le courage et les prépare à s'exposer à de plus grands. Il y en a qui sont braves à coups d'épée, et qui craignent les coups de mousquet; d'autres sont assurés aux coups de mousquet, et appréhendent de se battre à coups d'épée. Tous ces courages de différentes espèces conviennent en ce que la nuit augmentant la crainte et cachant les bonnes et les mauvaises actions, elle donne la liberté de se ménager. Il y a encore un autre ménagement plus général; car on ne voit point d'homme qui fasse tout ce qu'il serait capable de faire dans une occasion s'il était assuré d'en revenir. De sorte qu'il est visible que la crainte de la mort ôte quelque chose de la valeur.

216. La parfaite valeur est de faire sans témoins ce qu'on serait capable de faire devant tout le monde.

217. L'intrépidité est une force extraordinaire de l'âme qui l'élève au-dessus des troubles, des désordres et des émotions que la vue des grands périls pourrait exciter en elle; et c'est par cette force que les héros se maintiennent en un état paisible, et conservent l'usage libre de leur raison dans les accidents les plus surprenants et les plus terribles.

218. L'hypocrisie est un hommage que le vice rend à la vertu.

219. La plupart des hommes s'exposent assez dans la guerre pour sauver leur honneur. Mais peu se veulent toujours exposer autant qu'il est nécessaire pour faire réussir le dessein pour lequel ils s'exposent.

220. La vanité, la honte, et surtout le tempérament, font souvent la valeur des hommes, et la vertu des femmes.

221. On ne veut point perdre la vie, et on veut acquérir de la gloire ; ce qui fait que les braves ont plus d'adresse et d'esprit pour éviter la mort que les gens de chicane n'en ont pour conserver leur bien.

222. Il n'y a guère de personnes qui dans le premier penchant de l'âge ne fassent connaître par où leur corps et leur esprit doivent défaillir.

223. Il est de la reconnaissance comme de la bonne foi des marchands : elle entretient le commerce ; et nous ne payons pas parce qu'il est juste de nous acquitter, mais pour trouver plus facilement des gens qui nous prêtent.

224. Tous ceux qui s'acquittent des devoirs de la reconnaissance ne peuvent pas pour cela se flatter d'être reconnaissants.

225. Ce qui fait le mécompte dans la reconnaissance qu'on attend des grâces que l'on a faites, c'est que l'orgueil de celui qui donne, et l'orgueil de celui qui reçoit, ne peuvent convenir du prix du bienfait.

226. Le trop grand empressement qu'on a de s'acquitter d'une obligation est une espèce d'ingratitude.

227. Les gens heureux ne se corrigent guère ; ils croient toujours avoir raison quand la fortune soutient leur mauvaise conduite.

228. L'orgueil ne veut pas devoir, et l'amour-propre ne veut pas payer.

229. Le bien que nous avons reçu de quelqu'un veut que nous respections le mal qu'il nous fait.

230. Rien n'est si contagieux que l'exemple, et nous ne faisons jamais de grands biens ni de grands maux qui n'en produisent de semblables. Nous imitons les bonnes actions par émulation, et les mauvaises par la malignité de notre nature que la honte retenait prisonnière, et que l'exemple met en liberté.

231. C'est une grande folie de vouloir être sage tout seul.

232. Quelque prétexte que nous donnions à nos afflictions, ce n'est souvent que l'intérêt et la vanité qui les causent.

233. Il y a dans les afflictions diverses sortes d'hypocrisie. Dans l'une, sous prétexte de pleurer la perte d'une personne qui nous est chère, nous nous pleurons nous-mêmes; nous regrettons la bonne opinion qu'il avait de nous; nous pleurons la diminution de notre bien, de notre plaisir, de notre considération. Ainsi les morts ont l'honneur des larmes qui ne coulent que pour les vivants. Je dis que c'est une espèce d'hypocrisie, à cause que dans ces sortes d'afflictions on se trompe soi-même. Il y a une autre hypocrisie qui n'est pas si innocente, parce qu'elle impose à tout le monde: c'est l'affliction de certaines personnes qui aspirent à la gloire d'une belle et immortelle douleur. Après que le temps qui consume tout a fait cesser celle qu'elles avaient en effet, elles ne laissent pas d'opiniâtrer leurs pleurs, leurs plaintes, et leurs soupirs; elles prennent un personnage lugubre, et travaillent à persuader par toutes leurs actions que leur déplaisir ne finira qu'avec leur vie. Cette triste et fatigante vanité se trouve d'ordinaire dans les femmes ambitieuses. Comme leur sexe leur ferme tous les chemins qui mènent à la gloire, elles s'efforcent de se rendre célèbres par la montre d'une inconsolable affliction. Il y a encore une autre espèce de larmes qui n'ont que de petites sources qui coulent et se tarissent facilement: on pleure pour avoir la réputation d'être tendre, on pleure pour être plaint, on pleure pour être pleuré; enfin on pleure pour éviter la honte de ne pleurer pas.

234. C'est plus souvent par orgueil que par défaut de lumières qu'on s'oppose avec tant d'opiniâtreté aux opinions les plus suivies: on trouve les premières places prises dans le bon parti, et on ne veut point des dernières.

235. Nous nous consolons aisément des disgrâces de nos amis lorsqu'elles servent à signaler notre tendresse pour eux.

236. Il semble que l'amour-propre soit la dupe de la bonté, et qu'il s'oublie lui-même lorsque nous travaillons pour l'avantage des autres. Cependant c'est prendre le chemin le plus assuré pour arriver à ses fins; c'est prêter à usure sous prétexte de donner; c'est enfin s'acquérir tout le monde par un moyen subtil et délicat.

237. Nul ne mérite d'être loué de bonté, s'il n'a pas la force d'être méchant: toute autre bonté n'est le plus souvent qu'une paresse ou une impuissance de la volonté.

238. Il n'est pas si dangereux de faire du mal à la plupart des hommes que de leur faire trop de bien.

239. Rien ne flatte plus notre orgueil que la confiance des grands, parce que nous la regardons comme un effet de notre mérite, sans considérer qu'elle ne vient le plus souvent que de vanité, ou d'impuissance de garder le secret.

240. On peut dire de l'agrément séparé de la beauté que c'est une symétrie dont on ne sait point les règles, et un rapport secret des traits ensemble, et des traits avec les couleurs et avec l'air de la personne.

241. La coquetterie est le fond de l'humeur des femmes. Mais toutes ne la mettent pas en pratique, parce que la coquetterie de quelques-unes est retenue par la crainte ou par la raison.

242. On incommode souvent les autres quand on croit ne les pouvoir jamais incommoder.

243. Il y a peu de choses impossibles d'elles-mêmes; et l'application pour les faire réussir nous manque plus que les moyens.

244. La souveraine habileté consiste à bien connaître le prix des choses.

245. C'est une grande habileté que de savoir cacher son habileté.

246. Ce qui paraît générosité n'est souvent qu'une ambition déguisée qui méprise de petits intérêts, pour aller à de plus grands.

247. La fidélité qui paraît en la plupart des hommes n'est qu'une invention de l'amour-propre pour attirer la confiance. C'est un moyen de nous élever au-dessus des autres, et de nous rendre dépositaires des choses les plus importantes.

248. La magnanimité méprise tout pour avoir tout.

249. Il n'y a pas moins d'éloquence dans le ton de la voix, dans les yeux et dans l'air de la personne, que dans le choix des paroles.

250. La véritable éloquence consiste à dire tout ce qu'il faut, et à ne dire que ce qu'il faut.

251. Il y a des personnes à qui les défauts siéent bien, et d'autres qui sont disgraciées avec leurs bonnes qualités.

252. Il est aussi ordinaire de voir changer les goûts qu'il est extraordinaire de voir changer les inclinations.

253. L'intérêt met en œuvre toutes sortes de vertus et de vices.

254. L'humilité n'est souvent qu'une feinte soumission, dont on se sert pour soumettre les autres; c'est un artifice de l'orgueil qui s'abaisse pour s'élever: et bien qu'il se transforme en mille manières, il n'est jamais mieux déguisé et plus capable de tromper que lorsqu'il se cache sous la figure de l'humilité.

255. Tous les sentiments ont chacun un ton de voix, des gestes et des mines qui leur sont propres. Et ce rapport bon ou mauvais, agréable ou désagréable, est ce qui fait que les personnes plaisent ou déplaisent.

256. Dans toutes les professions chacun affecte une mine et un extérieur pour paraître ce qu'il veut qu'on le croie. Ainsi on peut dire que le monde n'est composé que de mines.

257. La gravité est un mystère du corps inventé pour cacher les défauts de l'esprit.

258. Le bon goût vient plus du jugement que de l'esprit.

259. Le plaisir de l'amour est d'aimer ; et l'on est plus heureux par la passion que l'on a que par celle que l'on donne.

260. La civilité est un désir d'en recevoir, et d'être estimé poli.

261. L'éducation que l'on donne d'ordinaire aux jeunes gens est un second amour-propre qu'on leur inspire.

262. Il n'y a point de passion où l'amour de soi-même règne si puissamment que dans l'amour ; et on est toujours plus disposé à sacrifier le repos de ce qu'on aime qu'à perdre le sien.

263. Ce qu'on nomme libéralité n'est le plus souvent que la vanité de donner, que nous aimons mieux que ce que nous donnons.

264. La pitié est souvent un sentiment de nos propres maux dans les maux d'autrui. C'est une habile prévoyance des malheurs où nous pouvons tomber ; nous donnons du secours aux autres pour les engager à nous en donner en de semblables occasions ; et ces services que nous leur rendons sont à proprement parler des biens que nous nous faisons à nous-mêmes par avance.

265. La petitesse de l'esprit fait l'opiniâtreté ; et nous ne croyons pas aisément ce qui est au-delà de ce que nous voyons.

266. C'est se tromper que de croire qu'il n'y ait que les violentes passions comme l'ambition et l'amour, qui puissent triompher des autres. La paresse, toute languissante qu'elle est, ne laisse pas d'en être souvent la maîtresse ; elle usurpe sur tous les desseins et sur toutes les actions de la vie ; elle y détruit et y consume insensiblement les passions et les vertus.

267. La promptitude à croire le mal sans l'avoir assez examiné est un effet de l'orgueil et de la paresse. On veut trouver des coupables; et on ne veut pas se donner la peine d'examiner les crimes.

268. Nous récusons des juges pour les plus petits intérêts, et nous voulons bien que notre réputation et notre gloire dépendent du jugement des hommes, qui nous sont tous contraires, ou par leur jalousie, ou par leur préoccupation, ou par leur peu de lumière; et ce n'est que pour les faire prononcer en notre faveur que nous exposons en tant de manières notre repos et notre vie.

269. Il n'y a guère d'homme assez habile pour connaître tout le mal qu'il fait.

270. L'honneur acquis est caution de celui qu'on doit acquérir.

271. La jeunesse est une ivresse continuelle: c'est la fièvre de la raison.

272. Rien ne devrait plus humilier les hommes qui ont mérité de grandes louanges, que le soin qu'ils prennent encore de se faire valoir par de petites choses.

273. Il y a des gens qu'on approuve dans le monde, qui n'ont pour tout mérite que les vices qui servent au commerce de la vie.

274. La grâce de la nouveauté est à l'amour ce que la fleur est sur les fruits; elle y donne un lustre qui s'efface aisément, et qui ne revient jamais.

275. Le bon naturel, qui se vante d'être si sensible, est souvent étouffé par le moindre intérêt.

276. L'absence diminue les médiocres passions, et augmente les grandes, comme le vent éteint les bougies et allume le feu.

277. Les femmes croient souvent aimer encore qu'elles n'aiment pas. L'occupation d'une intrigue, l'émotion d'esprit que donne la

galanterie, la pente naturelle au plaisir d'être aimées, et la peine de refuser, leur persuadent qu'elles ont de la passion lorsqu'elles n'ont que de la coquetterie.

278. Ce qui fait que l'on est souvent mécontent de ceux qui négocient, est qu'ils abandonnent presque toujours l'intérêt de leurs amis pour l'intérêt du succès de la négociation, qui devient le leur par l'honneur d'avoir réussi à ce qu'ils avaient entrepris.

279. Quand nous exagérons la tendresse que nos amis ont pour nous, c'est souvent moins par reconnaissance que par le désir de faire juger de notre mérite.

280. L'approbation que l'on donne à ceux qui entrent dans le monde vient souvent de l'envie secrète que l'on porte à ceux qui y sont établis.

281. L'orgueil qui nous inspire tant d'envie nous sert souvent aussi à la modérer.

282. Il y a des faussetés déguisées qui représentent si bien la vérité que ce serait mal juger que de ne s'y pas laisser tromper.

283. Il n'y a pas quelquefois moins d'habileté à savoir profiter d'un bon conseil qu'à se bien conseiller soi-même.

284. Il y a des méchants qui seraient moins dangereux s'ils n'avaient aucune bonté.

285. La magnanimité est assez définie par son nom ; néanmoins on pourrait dire que c'est le bon sens de l'orgueil, et la voie la plus noble pour recevoir des louanges.

286. Il est impossible d'aimer une seconde fois ce qu'on a véritablement cessé d'aimer.

287. Ce n'est pas tant la fertilité de l'esprit qui nous fait trouver plusieurs expédients sur une même affaire, que c'est le défaut

de lumière qui nous fait arrêter à tout ce qui se présente à notre imagination, et qui nous empêche de discerner d'abord ce qui est le meilleur.

288. Il y a des affaires et des maladies que les remèdes aigrissent en certains temps; et la grande habileté consiste à connaître quand il est dangereux d'en user.

289. La simplicité affectée est une imposture délicate.

290. Il y a plus de défauts dans l'humeur que dans l'esprit.

291. Le mérite des hommes a sa saison aussi bien que les fruits.

292. On peut dire de l'humeur des hommes, comme de la plupart des bâtiments, qu'elle a diverses faces, les unes agréables, et les autres désagréables.

293. La modération ne peut avoir le mérite de combattre l'ambition et de la soumettre : elles ne se trouvent jamais ensemble. La modération est la langueur et la paresse de l'âme, comme l'ambition en est l'activité et l'ardeur.

294. Nous aimons toujours ceux qui nous admirent; et nous n'aimons pas toujours ceux que nous admirons.

295. Il s'en faut bien que nous ne connaissions toutes nos volontés.

296. Il est difficile d'aimer ceux que nous n'estimons point; mais il ne l'est pas moins d'aimer ceux que nous estimons beaucoup plus que nous.

297. Les humeurs du corps ont un cours ordinaire et réglé, qui meut et qui tourne imperceptiblement notre volonté; elles roulent ensemble et exercent successive ment un empire secret en nous : de sorte qu'elles ont une part considérable à toutes nos actions, sans que nous le puissions connaître.

298. La reconnaissance de la plupart des hommes n'est qu'une secrète envie de recevoir de plus grands bienfaits.

299. Presque tout le monde prend plaisir à s'acquitter des petites obligations ; beaucoup de gens ont de la reconnaissance pour les médiocres ; mais il n'y a quasi personne qui n'ait de l'ingratitude pour les grandes.

300. Il y a des folies qui se prennent comme les maladies contagieuses.

301. Assez de gens méprisent le bien, mais peu savent le donner.

302. Ce n'est d'ordinaire que dans de petits intérêts où nous prenons le hasard de ne pas croire aux apparences.

303. Quelque bien qu'on nous dise de nous, on ne nous apprend rien de nouveau.

304. Nous pardonnons souvent à ceux qui nous ennuient, mais nous ne pouvons pardonner à ceux que nous ennuyons.

305. L'intérêt que l'on accuse de tous nos crimes mérite souvent d'être loué de nos bonnes actions.

306. On ne trouve guère d'ingrats tant qu'on est en état de faire du bien.

307. Il est aussi honnête d'être glorieux avec soi-même qu'il est ridicule de l'être avec les autres.

308. On a fait une vertu de la modération pour borner l'ambition des grands hommes, et pour consoler les gens médiocres de leur peu de fortune, et de leur peu de mérite.

309. Il y a des gens destinés à être sots, qui ne font pas seulement des sottises par leur choix, mais que la fortune même contraint d'en faire.

310. Il arrive quelquefois des accidents dans la vie, d'où il faut être un peu fou pour se bien tirer.

311. S'il y a des hommes dont le ridicule n'ait jamais paru, c'est qu'on ne l'a pas bien cherché.

312. Ce qui fait que les amants et les maîtresses ne s'ennuient point d'être ensemble, c'est qu'ils parlent toujours d'eux-mêmes.

313. Pourquoi faut-il que nous ayons assez de mémoire pour retenir jusqu'aux moindres particularités de ce qui nous est arrivé, et que nous n'en ayons pas assez pour nous souvenir combien de fois nous les avons contées à une même personne ?

314. L'extrême plaisir que nous prenons à parler de nous-mêmes nous doit faire craindre de n'en donner guère à ceux qui nous écoutent.

315. Ce qui nous empêche d'ordinaire de faire voir le fond de notre cœur à nos amis, n'est pas tant la défiance que nous avons d'eux, que celle que nous avons de nous-mêmes.

316. Les personnes faibles ne peuvent être sincères.

317. Ce n'est pas un grand malheur d'obliger des ingrats, mais c'en est un insupportable d'être obligé à un malhonnête homme.

318. On trouve des moyens pour guérir de la folie, mais on n'en trouve point pour redresser un esprit de travers.

319. On ne saurait conserver longtemps les sentiments qu'on doit avoir pour ses amis et pour ses bienfaiteurs, si on se laisse la liberté de parler souvent de leurs défauts.

320. Louer les princes des vertus qu'ils n'ont pas, c'est leur dire impunément des injures.

321. Nous sommes plus près d'aimer ceux qui nous haïssent que ceux qui nous aiment plus que nous ne voulons.

322. Il n'y a que ceux qui sont méprisables qui craignent d'être méprisés.

323. Notre sagesse n'est pas moins à la merci de la fortune que nos biens.

324. Il y a dans la jalousie plus d'amour-propre que d'amour.

325. Nous nous consolons souvent par faiblesse des maux dont la raison n'a pas la force de nous consoler.

326. Le ridicule déshonore plus que le déshonneur.

327. Nous n'avouons de petits défauts que pour persuader que nous n'en avons pas de grands.

328. L'envie est plus irréconciliable que la haine.

329. On croit quelquefois haïr la flatterie, mais on ne hait que la manière de flatter.

330. On pardonne tant que l'on aime.

331. Il est plus difficile d'être fidèle à sa maîtresse quand on est heureux que quand on en est maltraité.

332. Les femmes ne connaissent pas toute leur coquetterie.

333. Les femmes n'ont point de sévérité complète sans aversion.

334. Les femmes peuvent moins surmonter leur coquetterie que leur passion.

335. Dans l'amour la tromperie va presque toujours plus loin que la méfiance.

336. Il y a une certaine sorte d'amour dont l'excès empêche la jalousie.

337. Il est de certaines bonnes qualités comme des sens : ceux qui en sont entièrement privés ne les peuvent apercevoir ni les comprendre.

338. Lorsque notre haine est trop vive, elle nous met au-dessous de ceux que nous haïssons.

339. Nous ne ressentons nos biens et nos maux qu'à proportion de notre amour-propre.

340. L'esprit de la plupart des femmes sert plus à fortifier leur folie que leur raison.

341. Les passions de la jeunesse ne sont guère plus opposées au salut que la tiédeur des vieilles gens.

342. L'accent du pays où l'on est né demeure dans l'esprit et dans le cœur, comme dans le langage.

343. Pour être un grand homme, il faut savoir profiter de toute sa fortune.

344. La plupart des hommes ont comme les plantes des propriétés cachées, que le hasard fait découvrir.

345. Les occasions nous font connaître aux autres, et encore plus à nous-mêmes.

346. Il ne peut y avoir de règle dans l'esprit ni dans le cœur des femmes, si le tempérament n'en est d'accord.

347. Nous ne trouvons guère de gens de bon sens, que ceux qui sont de notre avis.

348. Quand on aime, on doute souvent de ce qu'on croit le plus.

349. Le plus grand miracle de l'amour, c'est de guérir de la coquetterie.

350. Ce qui nous donne tant d'aigreur contre ceux qui nous font des finesses, c'est qu'ils croient être plus habiles que nous.

351. On a bien de la peine à rompre, quand on ne s'aime plus.

352. On s'ennuie presque toujours avec les gens avec qui il n'est pas permis de s'ennuyer.

353. Un honnête homme peut être amoureux comme un fou, mais non pas comme un sot.

354. Il y a de certains défauts qui, bien mis en œuvre, brillent plus que la vertu même.

355. On perd quelquefois des personnes qu'on regrette plus qu'on n'en est affligé; et d'autres dont on est affligé, et qu'on ne regrette guère.

356. Nous ne louons d'ordinaire de bon cœur que ceux qui nous admirent.

357. Les petits esprits sont trop blessés des petites choses; les grands esprits les voient toutes, et n'en sont point blessés.

358. L'humilité est la véritable preuve des vertus chrétiennes: sans elle nous conservons tous nos défauts, et ils sont seulement couverts par l'orgueil qui les cache aux autres, et souvent à nous-mêmes.

359. Les infidélités devraient éteindre l'amour, et il ne faudrait point être jaloux quand on a sujet de l'être. Il n'y a que les personnes qui évitent de donner de la jalousie qui soient dignes qu'on en ait pour elles.

360. On se décrie beaucoup plus auprès de nous par les moindres infidélités qu'on nous fait, que par les plus grandes qu'on fait aux autres.

361. La jalousie naît toujours avec l'amour, mais elle ne meurt pas toujours avec lui.

362. La plupart des femmes ne pleurent pas tant la mort de leurs amants pour les avoir aimés, que pour paraître plus dignes d'être aimées.

363. Les violences qu'on nous fait nous font souvent moins de peine que celles que nous nous faisons à nous-mêmes.

364. On sait assez qu'il ne faut guère parler de sa femme ; mais on ne sait pas assez qu'on devrait encore moins parler de soi.

365. Il y a de bonnes qualités qui dégénèrent en défauts quand elles sont naturelles, et d'autres qui ne sont jamais parfaites quand elles sont acquises. Il faut, par exemple, que la raison nous fasse ménagers de notre bien et de notre confiance ; et il faut, au contraire, que la nature nous donne la bonté et la valeur.

366. Quelque défiance que nous ayons de la sincérité de ceux qui nous parlent, nous croyons toujours qu'ils nous disent plus vrai qu'aux autres.

367. Il y a peu d'honnêtes femmes qui ne soient lasses de leur métier.

368. La plupart des honnêtes femmes sont des trésors cachés, qui ne sont en sûreté que parce qu'on ne les cherche pas.

369. Les violences qu'on se fait pour s'empêcher d'aimer sont souvent plus cruelles que les rigueurs de ce qu'on aime.

370. Il n'y a guère de poltrons qui connaissent toujours toute leur peur.

371. C'est presque toujours la faute de celui qui aime de ne pas connaître quand on cesse de l'aimer.

372. La plupart des jeunes gens croient être naturels, lorsqu'ils ne sont que mal polis et grossiers.

373. Il y a de certaines larmes qui nous trompent souvent nous-mêmes après avoir trompé les autres.

374. Si on croit aimer sa maîtresse pour l'amour d'elle, on est bien trompé.

375. Les esprits médiocres condamnent d'ordinaire tout ce qui passe leur portée.

376. L'envie est détruite par la véritable amitié, et la coquetterie par le véritable amour.

377. Le plus grand défaut de la pénétration n'est pas de n'aller point jusqu'au but, c'est de le passer.

378. On donne des conseils mais on n'inspire point de conduite.

379. Quand notre mérite baisse, notre goût baisse aussi.

380. La fortune fait paraître nos vertus et nos vices, comme la lumière fait paraître les objets.

381. La violence qu'on se fait pour demeurer fidèle à ce qu'on aime ne vaut guère mieux qu'une infidélité.

382. Nos actions sont comme les bouts-rimés, que chacun fait rapporter à ce qu'il lui plaît.

383. L'envie de parler de nous, et de faire voir nos défauts du côté que nous voulons bien les montrer, fait une grande partie de notre sincérité.

384. On ne devrait s'étonner que de pouvoir encore s'étonner.

385. On est presque également difficile à contenter quand on a beaucoup d'amour et quand on n'en a plus guère.

386. Il n'y a point de gens qui aient plus souvent tort que ceux qui ne peuvent souffrir d'en avoir.

387. Un sot n'a pas assez d'étoffe pour être bon.

388. Si la vanité ne renverse pas entièrement les vertus, du moins elle les ébranle toutes.

389. Ce qui nous rend la vanité des autres insupportable, c'est qu'elle blesse la nôtre.

390. On renonce plus aisément à son intérêt qu'à son goût.

391. La fortune ne paraît jamais si aveugle qu'à ceux à qui elle ne fait pas de bien.

392. Il faut gouverner la fortune comme la santé : en jouir quand elle est bonne, prendre patience quand elle est mauvaise, et ne faire jamais de grands remèdes sans un extrême besoin.

393. L'air bourgeois se perd quelquefois à l'armée ; mais il ne se perd jamais à la cour.

394. On peut être plus fin qu'un autre, mais non pas plus fin que tous les autres.

395. On est quelquefois moins malheureux d'être trompé de ce qu'on aime, que d'en être détrompé.

396. On garde longtemps son premier amant, quand on n'en prend point de second.

397. Nous n'avons pas le courage de dire en général que nous n'avons point de défauts, et que nos ennemis n'ont point de bonnes qualités ; mais en détail nous ne sommes pas trop éloignés de le croire.

398. De tous nos défauts, celui dont nous demeurons le plus aisément d'accord, c'est de la paresse ; nous nous persuadons qu'elle tient à toutes les vertus paisibles et que, sans détruire entièrement les autres, elle en suspend seulement les fonctions.

399. Il y a une élévation qui ne dépend point de la fortune : c'est un certain air qui nous distingue et qui semble nous destiner aux grandes choses ; c'est un prix que nous nous donnons imperceptiblement à nous-mêmes ; c'est par cette qualité que nous usurpons les déférences des autres hommes, et c'est elle d'ordinaire qui nous met plus au-dessus d'eux que la naissance, les dignités, et le mérite même.

400. Il y a du mérite sans élévation, mais il n'y a point d'élévation sans quelque mérite.

401. L'élévation est au mérite ce que la parure est aux belles personnes.

402. Ce qui se trouve le moins dans la galanterie, c'est de l'amour.

403. La fortune se sert quelquefois de nos défauts pour nous élever, et il y a des gens incommodes dont le mérite serait mal récompensé si on ne voulait acheter leur absence.

404. Il semble que la nature ait caché dans le fond de notre esprit des talents et une habileté que nous ne connaissons pas ; les passions seules ont le droit de les mettre au jour, et de nous donner quelquefois des vues plus certaines et plus achevées que l'art ne saurait faire.

405. Nous arrivons tout nouveaux aux divers âges de la vie, et nous y manquons souvent d'expérience malgré le nombre des années.

406. Les coquettes se font honneur d'être jalouses de leurs amants, pour cacher qu'elles sont envieuses des autres femmes.

407. Il s'en faut bien que ceux qui s'attrapent à nos finesses ne nous paraissent aussi ridicules que nous nous le paraissons à nous-mêmes quand les finesses des autres nous ont attrapés.

408. Le plus dangereux ridicule des vieilles personnes qui ont été aimables, c'est d'oublier qu'elles ne le sont plus.

409. Nous aurions souvent honte de nos plus belles actions si le monde voyait tous les motifs qui les produisent.

410. Le plus grand effort de l'amitié n'est pas de montrer nos défauts à un ami ; c'est de lui faire voir les siens.

411. On n'a guère de défauts qui ne soient plus pardonnables que les moyens dont on se sert pour les cacher.

412. Quelque honte que nous ayons méritée, il est presque toujours en notre pouvoir de rétablir notre réputation.

413. On ne plaît pas longtemps quand on n'a que d'une sorte d'esprit.

414. Les fous et les sottes gens ne voient que par leur humeur.

415. L'esprit nous sert quelquefois à faire hardiment des sottises.

416. La vivacité qui augmente en vieillissant ne va pas loin de la folie.

417. En amour celui qui est guéri le premier est toujours le mieux guéri.

418. Les jeunes femmes qui ne veulent point paraître coquettes, et les hommes d'un âge avancé qui ne veulent pas être ridicules, ne doivent jamais parler de l'amour comme d'une chose où ils puissent avoir part.

419. Nous pouvons paraître grands dans un emploi au-dessous de notre mérite, mais nous paraissons souvent petits dans un emploi plus grand que nous.

420. Nous croyons souvent avoir de la constance dans les malheurs, lorsque nous n'avons que de l'abattement, et nous les souffrons sans oser les regarder comme les poltrons se laissent tuer de peur de se défendre.

421. La confiance fournit plus à la conversation que l'esprit.

422. Toutes les passions nous font faire des fautes, mais l'amour nous en fait faire de plus ridicules.

423. Peu de gens savent être vieux.

424. Nous nous faisons honneur des défauts opposés à ceux que nous avons : quand nous sommes faibles, nous nous vantons d'être opiniâtres.

425. La pénétration a un air de deviner qui flatte plus notre vanité que toutes les autres qualités de l'esprit.

426. La grâce de la nouveauté et la longue habitude, quelque opposées qu'elles soient, nous empêchent également de sentir les défauts de nos amis.

427. La plupart des amis dégoûtent de l'amitié, et la plupart des dévots dégoûtent de la dévotion.

428. Nous pardonnons aisément à nos amis les défauts qui ne nous regardent pas.

429. Les femmes qui aiment pardonnent plus aisément les grandes indiscrétions que les petites infidélités.

430. Dans la vieillesse de l'amour comme dans celle de l'âge on vit encore pour les maux, mais on ne vit plus pour les plaisirs.

431. Rien n'empêche tant d'être naturel que l'envie de le paraître.

432. C'est en quelque sorte se donner part aux belles actions, que de les louer de bon cœur.

433. La plus véritable marque d'être né avec de grandes qualités, c'est d'être né sans envie.

434. Quand nos amis nous ont trompés, on ne doit que de l'indifférence aux marques de leur amitié, mais on doit toujours de la sensibilité à leurs malheurs.

435. La fortune et l'humeur gouvernent le monde.

436. Il est plus aisé de connaître l'homme en général que de connaître un homme en particulier.

437. On ne doit pas juger du mérite d'un homme par ses grandes qualités, mais par l'usage qu'il en sait faire.

438. Il y a une certaine reconnaissance vive qui ne nous acquitte pas seulement des bienfaits que nous avons reçus, mais qui fait même que nos amis nous doivent en leur payant ce que nous leur devons.

439. Nous ne désirerions guère de choses avec ardeur, si nous connaissions parfaitement ce que nous désirons.

440. Ce qui fait que la plupart des femmes sont peu touchées de l'amitié, c'est qu'elle est fade quand on a senti de l'amour.

441. Dans l'amitié comme dans l'amour on est souvent plus heureux par les choses qu'on ignore que par celles que l'on sait.

442. Nous essayons de nous faire honneur des défauts que nous ne voulons pas corriger.

443. Les passions les plus violentes nous laissent quelquefois du relâche, mais la vanité nous agite toujours.

444. Les vieux fous sont plus fous que les jeunes.

445. La faiblesse est plus opposée à la vertu que le vice.

446. Ce qui rend les douleurs de la honte et de la jalousie si aiguës, c'est que la vanité ne peut servir à les supporter.

447. La bienséance est la moindre de toutes les lois, et la plus suivie.

448. Un esprit droit a moins de peine de se soumettre aux esprits de travers que de les conduire.

449. Lorsque la fortune nous surprend en nous donnant une grande place sans nous y avoir conduits par degrés, ou sans que nous nous y soyons élevés par nos espérances, il est presque impossible de s'y bien soutenir, et de paraître digne de l'occuper.

450. Notre orgueil s'augmente souvent de ce que nous retranchons de nos autres défauts.

451. Il n'y a point de sots si incommodes que ceux qui ont de l'esprit.

452. Il n'y a point d'homme qui se croie en chacune de ses qualités au-dessous de l'homme du monde qu'il estime le plus.

453. Dans les grandes affaires on doit moins s'appliquer à faire naître des occasions qu'à profiter de celles qui se présentent.

454. Il n'y a guère d'occasion où l'on fit un méchant marché de renoncer au bien qu'on dit de nous, à condition de n'en dire point de mal.

455. Quelque disposition qu'ait le monde à mal juger, il fait encore plus souvent grâce au faux mérite qu'il ne fait injustice au véritable.

456. On est quelquefois un sot avec de l'esprit, mais on ne l'est jamais avec du jugement.

457. Nous gagnerions plus de nous laisser voir tels que nous sommes, que d'essayer de paraître ce que nous ne sommes pas.

458. Nos ennemis approchent plus de la vérité dans les jugements qu'ils font de nous que nous n'en approchons nous-mêmes.

459. Il y a plusieurs remèdes qui guérissent de l'amour, mais il n'y en a point d'infaillibles.

460. Il s'en faut bien que nous connaissions tout ce que nos passions nous font faire.

461. La vieillesse est un tyran qui défend sur peine de la vie tous les plaisirs de la jeunesse.

462. Le même orgueil qui nous fait blâmer les défauts dont nous nous croyons exempts, nous porte à mépriser les bonnes qualités que nous n'avons pas.

463. Il y a souvent plus d'orgueil que de bonté à plaindre les malheurs de nos ennemis ; c'est pour leur faire sentir que nous sommes au-dessus d'eux que nous leur donnons des marques de compassion.

464. Il y a un excès de biens et de maux qui passe notre sensibilité.

465. Il s'en faut bien que l'innocence ne trouve autant de protection que le crime.

466. De toutes les passions violentes, celle qui sied le moins mal aux femmes, c'est l'amour.

467. La vanité nous fait faire plus de choses contre notre goût que la raison.

468. Il y a de méchantes qualités qui font de grands talents.

469. On ne souhaite jamais ardemment ce qu'on ne souhaite que par raison.

470. Toutes nos qualités sont incertaines et douteuses en bien comme en mal, et elles sont presque toutes à la merci des occasions.

471. Dans les premières passions les femmes aiment l'amant, et dans les autres elles aiment l'amour.

472. L'orgueil a ses bizarreries, comme les autres passions; on a honte d'avouer que l'on ait de la jalousie, et on se fait honneur d'en avoir eu, et d'être capable d'en avoir.

473. Quelque rare que soit le véritable amour, il l'est encore moins que la véritable amitié.

474. Il y a peu de femmes dont le mérite dure plus que la beauté.

475. L'envie d'être plaint, ou d'être admiré, fait souvent la plus grande partie de notre confiance.

476. Notre envie dure toujours plus longtemps que le bonheur de ceux que nous envions.

477. La même fermeté qui sert à résister à l'amour sert aussi à le rendre violent et durable, et les personnes faibles qui sont toujours agitées des passions n'en sont presque jamais véritablement remplies.

478. L'imagination ne saurait inventer tant de diverses contrariétés qu'il y en a naturellement dans le cœur de chaque personne.

479. Il n'y a que les personnes qui ont de la fermeté qui puissent avoir une véritable douceur; celles qui paraissent douces n'ont

d'ordinaire que de la faiblesse, qui se convertit aisément en aigreur.

480. La timidité est un défaut dont il est dangereux de reprendre les personnes qu'on en veut corriger.

481. Rien n'est plus rare que la véritable bonté ; ceux mêmes qui croient en avoir n'ont d'ordinaire que de la complaisance ou de la faiblesse.

482. L'esprit s'attache par paresse et par constance à ce qui lui est facile ou agréable ; cette habitude met toujours des bornes à nos connaissances, et jamais personne ne s'est donné la peine d'étendre et de conduire son esprit aussi loin qu'il pourrait aller.

483. On est d'ordinaire plus médisant par vanité que par malice.

484. Quand on a le cœur encore agité par les restes d'une passion, on est plus près d'en prendre une nouvelle que quand on est entièrement guéri.

485. Ceux qui ont eu de grandes passions se trouvent toute leur vie heureux, et malheureux, d'en être guéris.

486. Il y a encore plus de gens sans intérêt que sans envie.

487. Nous avons plus de paresse dans l'esprit que dans le corps.

488. Le calme ou l'agitation de notre humeur ne dépend pas tant de ce qui nous arrive de plus considérable dans la vie, que d'un arrangement commode ou désagréable de petites choses qui arrivent tous les jours.

489. Quelque méchants que soient les hommes, ils n'oseraient paraître ennemis de la vertu, et lorsqu'ils la veulent persécuter, ils feignent de croire qu'elle est fausse ou ils lui supposent des crimes.

490. On passe souvent de l'amour à l'ambition, mais on ne revient guère de l'ambition à l'amour.

491. L'extrême avarice se méprend presque toujours; il n'y a point de passion qui s'éloigne plus souvent de son but, ni sur qui le présent ait tant de pouvoir au préjudice de l'avenir.

492. L'avarice produit souvent des effets contraires; il y a un nombre infini de gens qui sacrifient tout leur bien à des espérances douteuses et éloignées, d'autres méprisent de grands avantages à venir pour de petits intérêts présents.

493. Il semble que les hommes ne se trouvent pas assez de défauts; ils en augmentent encore le nombre par de certaines qualités singulières dont ils affectent de se parer, et ils les cultivent avec tant de soin qu'elles deviennent à la fin des défauts naturels, qu'il ne dépend plus d'eux de corriger.

494. Ce qui fait voir que les hommes connaissent mieux leurs fautes qu'on ne pense, c'est qu'ils n'ont jamais tort quand on les entend parler de leur conduite: le même amour-propre qui les aveugle d'ordinaire les éclaire alors, et leur donne des vues si justes qu'il leur fait supprimer ou déguiser les moindres choses qui peuvent être condamnées.

495. Il faut que les jeunes gens qui entrent dans le monde soient honteux ou étourdis: un air capable et composé se tourne d'ordinaire en impertinence.

496. Les querelles ne dureraient pas longtemps, si le tort n'était que d'un côté.

497. Il ne sert de rien d'être jeune sans être belle, ni d'être belle sans être jeune.

498. Il y a des personnes si légères et si frivoles qu'elles sont aussi éloignées d'avoir de véritables défauts que des qualités solides.

499. On ne compte d'ordinaire la première galanterie des femmes que lorsqu'elles en ont une seconde.

500. Il y a des gens si remplis d'eux-mêmes que, lorsqu'ils sont amoureux, ils trouvent moyen d'être occupés de leur passion sans l'être de la personne qu'ils aiment.

501. L'amour, tout agréable qu'il est, plaît encore plus par les manières dont il se montre que par lui-même.

502. Peu d'esprit avec de la droiture ennuie moins, à la longue, que beaucoup d'esprit avec du travers.

503. La jalousie est le plus grand de tous les maux, et celui qui fait le moins de pitié aux personnes qui le causent.

504. Après avoir parlé de la fausseté de tant de vertus apparentes, il est raisonnable de dire quelque chose de la fausseté du mépris de la mort. J'entends parler de ce mépris de la mort que les païens se vantent de tirer de leurs propres forces, sans l'espérance d'une meilleure vie. Il y a différence entre souffrir la mort constamment, et la mépriser. Le premier est assez ordinaire ; mais je crois que l'autre n'est jamais sincère. On a écrit néanmoins tout ce qui peut le plus persuader que la mort n'est point un mal ; et les hommes les plus faibles, aussi bien que les héros ont donné mille exemples célèbres pour établir cette opinion. Cependant je doute que personne de bon sens l'ait jamais cru ; et la peine que l'on prend pour le persuader aux autres et à soi-même fait assez voir que cette entreprise n'est pas aisée. On peut avoir divers sujets de dégoût dans la vie, mais on n'a jamais raison de mépriser la mort ; ceux mêmes qui se la donnent volontairement ne la comptent pas pour si peu de chose, et ils s'en étonnent et la rejettent comme les autres, lorsqu'elle vient à eux par une autre voie que celle qu'ils ont choisie. L'inégalité que l'on remarque dans le courage d'un nombre infini de vaillants hommes vient de ce que la mort se découvre différemment à leur imagination, et y paraît plus présente en un temps qu'en un autre. Ainsi il arrive qu'après avoir méprisé ce qu'ils ne connaissent pas, ils craignent enfin ce qu'ils connaissent. Il faut éviter de l'envisager avec toutes ses

circonstances, si on ne veut pas croire qu'elle soit le plus grand de tous les maux. Les plus habiles et les plus braves sont ceux qui prennent de plus honnêtes prétextes pour s'empêcher de la considérer. Mais tout homme qui la sait voir telle qu'elle est, trouve que c'est une chose épouvantable. La nécessité de mourir faisait toute la constance des philosophes. Ils croyaient qu'il fallait aller de bonne grâce où l'on ne saurait s'empêcher d'aller; et, ne pouvant éterniser leur vie, il n'y avait rien qu'ils ne fissent pour éterniser leur réputation, et sauver du naufrage ce qui n'en peut être garanti. Contentons-nous pour faire bonne mine de ne nous pas dire à nous-mêmes tout ce que nous en pensons, et espérons plus de notre tempérament que de ces faibles raisonnements qui nous font croire que nous pouvons approcher de la mort avec indifférence. La gloire de mourir avec fermeté, l'espérance d'être regretté, le désir de laisser une belle réputation, l'assurance d'être affranchi des misères de la vie, et de ne dépendre plus des caprices de la fortune, sont des remèdes qu'on ne doit pas rejeter. Mais on ne doit pas croire aussi qu'ils soient infaillibles. Ils font pour nous assurer ce qu'une simple haie fait souvent à la guerre pour assurer ceux qui doivent approcher d'un lieu d'où l'on tire. Quand on en est éloigné, on s'imagine qu'elle peut mettre à couvert; mais quand on en est proche, on trouve que c'est un faible secours. C'est nous flatter, de croire que la mort nous paraisse de près ce que nous en avons jugé de loin, et que nos sentiments, qui ne sont que faiblesse, soient d'une trempe assez forte pour ne point souffrir d'atteinte par la plus rude de toutes les épreuves. C'est aussi mal connaître les effets de l'amour-propre, que de penser qu'il puisse nous aider à compter pour rien ce qui le doit nécessairement détruire, et la raison, dans laquelle on croit trouver tant de ressources, est trop faible en cette rencontre pour nous persuader ce que nous voulons. C'est elle au contraire qui nous trahit le plus souvent, et qui, au lieu de nous inspirer le mépris de la mort, sert à nous découvrir ce qu'elle a d'affreux et de terrible. Tout ce qu'elle peut faire pour nous est de nous conseiller d'en détourner les yeux pour les arrêter sur d'autres objets. Caton et Bfutus en choisirent d'illustres. Un laquais se contenta il y a quelque temps de danser sur l'échafaud où il allait être roué. Ainsi, bien que les motifs soient différents, ils produisent les mêmes effets. De sorte qu'il est vrai que, quelque disproportion qu'il y ait entre les grands hommes et les gens du commun, on a vu mille fois les uns et les autres recevoir la mort d'un même visage; mais ç'a toujours été avec cette différence que, dans le mépris que les grands hommes font paraître pour la mort, c'est l'amour de la gloire qui leur en ôte la vue, et dans les gens du commun ce n'est qu'un effet de leur peu de lumière qui les empêche de connaître la grandeur de leur mal et leur laisse la liberté de penser à autre chose.

Maximes supprimées

Maximes retranchées après la première édition

1. L'amour-propre est l'amour de soi-même, et de toutes choses pour soi; il rend les hommes idolâtres d'eux-mêmes, et les rendrait les tyrans des autres si la fortune leur en donnait les moyens; il ne se repose jamais hors de soi, et ne s'arrête dans les sujets étrangers que comme les abeilles sur les fleurs, pour en tirer ce qui lui est propre. Rien n'est si impétueux que ses désirs, rien de si caché que ses desseins, rien de si habile que ses conduites; ses souplesses ne se peuvent représenter, ses transformations passent celles des métamorphoses, et ses raffinements ceux de la chimie. On ne peut sonder la profondeur, ni percer les ténèbres de ses abîmes. Là il est à couvert des yeux les plus pénétrants; il y fait mille insensibles tours et retours. Là il est souvent invisible à lui-même, il y conçoit, il y nourrit, et il y élève, sans le savoir, un grand nombre d'affections et de haines; il en forme de si monstrueuses que, lorsqu'il les a mises au jour, il les méconnaît, ou il ne peut se résoudre à les avouer. De cette nuit qui le couvre naissent les ridicules persuasions qu'il a de lui-même; de là viennent ses erreurs, ses ignorances, ses grossièretés et ses niaiseries sur son sujet; de là vient qu'il croit que ses sentiments sont morts lorsqu'ils ne sont qu'endormis, qu'il s'imagine n'avoir plus envie de courir dès qu'il se repose, et qu'il pense avoir perdu tous les goûts qu'il a rassasiés. Mais cette obscurité épaisse, qui le cache à lui-même, n'empêche pas qu'il ne voie parfaitement ce qui est hors de lui, en quoi il est semblable à nos yeux, qui découvrent tout, et sont aveugles seulement pour eux-mêmes. En effet dans ses plus grands intérêts, et dans ses plus importantes affaires, où la violence de ses souhaits appelle toute son attention, il voit, il sent, il entend, il imagine, il soupçonne, il pénètre, il devine tout; de sorte qu'on est tenté de croire que chacune de ses passions a une espèce de magie qui lui est propre. Rien n'est si intime et si fort que ses attachements, qu'il essaye de rompre inutilement à la vue des malheurs extrêmes qui le menacent. Cependant il fait quelquefois en peu de temps, et sans aucun effort, ce qu'il n'a pu

faire avec tous ceux dont il est capable dans le cours de plusieurs années; d'où l'on pourrait conclure assez vraisemblablement que c'est par lui-même que ses désirs sont allumés, plutôt que par la beauté et par le mérite de ses objets; que son goût est le prix qui les relève, et le fard qui les embellit; que c'est après lui-même qu'il court, et qu'il suit son gré, lorsqu'il suit les choses qui sont à son gré. Il est tous les contraires: il est impérieux et obéissant, sincère et dissimulé, miséricordieux et cruel, timide et audacieux. Il a de différentes inclinations selon la diversité des tempéraments qui le tournent, et le dévouent tantôt à la gloire, tantôt aux richesses, et tantôt aux plaisirs; il en change selon le changement de nos âges, de nos fortunes et de nos expériences; mais il lui est indifférent d'en avoir plusieurs ou de n'en avoir qu'une, parce qu'il se partage en plusieurs et se ramasse en une quand il le faut, et comme il lui plaît. Il est inconstant, et outre les changements qui viennent des causes étrangères, il y en a une infinité qui naissent de lui, et de son propre fonds; il est inconstant d'inconstance, de légèreté, d'amour, de nouveauté, de lassitude et de dégoût; il est capricieux, et on le voit quelquefois travailler avec le dernier empressement, et avec des travaux incroyables, à obtenir des choses qui ne lui sont point avantageuses, et qui même lui sont nuisibles, mais qu'il poursuit parce qu'il les veut. Il est bizarre, et met souvent toute son application dans les emplois les plus frivoles; il trouve tout son plaisir dans les plus fades, et conserve toute sa fierté dans les plus méprisables. Il est dans tous les états de la vie, et dans toutes les conditions; il vit partout, et il vit de tout, il vit de rien; il s'accommode des choses, et de leur privation; il passe même dans le parti des gens qui lui font la guerre, il entre dans leurs desseins; et ce qui est admirable, il se hait lui-même avec eux, il conjure sa perte, il travaille même à sa ruine. Enfin il ne se soucie que d'être, et pourvu qu'il soit, il veut bien être son ennemi. Il ne faut donc pas s'étonner s'il se joint quelquefois à la plus rude austérité, et s'il entre si hardiment en société avec elle pour se détruire, parce que, dans le même temps qu'il se ruine en un endroit, il se rétablit en un autre; quand on pense qu'il quitte son plaisir, il ne fait que le suspendre, ou le changer, et lors même qu'il est vaincu et qu'on croit en être défait, on le retrouve qui triomphe dans sa propre défaite. Voilà la peinture de l'amour-propre, dont toute la vie n'est qu'une grande et longue agitation ; la mer en est une image sensible, et l'amour-propre trouve dans le flux et le reflux de ses vagues continuelles une fidèle expression de la succession turbulente de ses pensées, et de ses éternels mouvements.

2. Toutes les passions ne sont autre chose que les divers degrés de la chaleur, et de la froideur, du sang.

3. La modération dans la bonne fortune n'est que l'appréhension de la honte qui suit l'emportement, ou la peur de perdre ce que l'on a.

4. La modération est comme la sobriété : on voudrait bien manger davantage, mais on craint de se faire mal.

5. Tout le monde trouve à redire en autrui ce qu'on trouve à redire en lui.

6. L'orgueil, comme lassé de ses artifices et de ses différentes métamorphoses, après avoir joué tout seul tous les personnages de la comédie humaine, se montre avec un visage naturel, et se découvre par la fierté ; de sorte qu'à proprement parler la fierté est l'éclat et la déclaration de l'orgueil.

7. La complexion qui fait le talent pour les petites choses est contraire à celle qu'il faut pour le talent des grandes.

8. C'est une espèce de bonheur, de connaître jusques à quel point on doit être malheureux.

9. On n'est jamais si malheureux qu'on croit, ni si heureux qu'on avait espéré.

10. On se console souvent d'être malheureux par un certain plaisir qu'on trouve à le paraître.

11. Il faudrait pouvoir répondre de sa fortune, pour pouvoir répondre de ce que l'on fera.

12. Comment peut-on répondre de ce qu'on voudra à l'avenir, puisque l'on ne sait pas précisément ce que l'on veut dans le temps présent?

13. L'amour est à l'âme de celui qui aime ce que l'âme est au corps qu'elle anime.

14. La justice n'est qu'une vive appréhension qu'on ne nous ôte ce qui nous appartient; de là vient cette considération et ce respect pour tous les intérêts du prochain, et cette scrupuleuse application à ne lui faire aucun préjudice; cette crainte retient l'homme dans les bornes des biens que la naissance, ou la fortune, lui ont donnés, et sans cette crainte il ferait des courses continuelles sur les autres.

15. La justice, dans les juges qui sont modérés, n'est que l'amour de leur élévation.

16. On blâme l'injustice, non pas par l'aversion que l'on a pour elle, mais pour le préjudice que l'on en reçoit.

17. Le premier mouvement de joie que nous avons du bonheur de nos amis ne vient ni de la bonté de notre naturel, ni de l'amitié que nous avons pour eux; c'est un effet de l'amour-propre qui nous flatte de l'espérance d'être heureux à notre tour, ou de retirer quelque utilité de leur bonne fortune.

18. Dans l'adversité de nos meilleurs amis, nous trouvons toujours quelque chose qui ne nous déplaît pas.

19. L'aveuglement des hommes est le plus dangereux effet de leur orgueil: il sert à le nourrir et à l'augmenter, et nous ôte la connaissance des remèdes qui pourraient soulager nos misères et nous guérir de nos défauts.

20. On n'a plus de raison, quand on n'espère plus d'en trouver aux autres.

21. Les philosophes, et Sénèque surtout, n'ont point ôté les crimes par leurs préceptes : ils n'ont fait que les employer au bâtiment de l'orgueil.

22. Les plus sages le sont dans les choses indifférentes, mais ils ne le sont presque jamais dans leurs plus sérieuses affaires.

23. La plus subtile folie se fait de la plus subtile sagesse.

24. La sobriété est l'amour de la santé, ou l'impuissance de manger beaucoup.

25. Chaque talent dans les hommes, de même que chaque arbre, a ses propriétés et ses effets qui lui sont tous particuliers.

26. On n'oublie jamais mieux les choses que quand on s'est lassé d'en parler.

27. La modestie, qui semble refuser les louanges, n'est en effet qu'un désir d'en avoir de plus délicates.

28. On ne blâme le vice et on ne loue la vertu que par intérêt.

29. L'amour-propre empêche bien que celui qui nous flatte ne soit jamais celui qui nous flatte le plus.

30. On ne fait point de distinction dans les espèces de colères, bien qu'il y en ait une légère et quasi innocente, qui vient de l'ardeur de la complexion, et une autre très criminelle, qui est à proprement parler la fureur de l'orgueil.

31. Les grandes âmes ne sont pas celles qui ont moins de passions et plus de vertu que les âmes communes, mais celles seulement qui ont de plus grands desseins.

32. La férocité naturelle fait moins de cruels que l'amour-propre.

33. On peut dire de toutes nos vertus ce qu'un poète italien a dit de l'honnêteté des femmes, que ce n'est souvent autre chose qu'un art de paraître honnête.

34. Ce que le monde nomme vertu n'est d'ordinaire qu'un fantôme formé par nos passions, à qui on donne un nom honnête, pour faire impunément ce qu'on veut.

35. Nous n'avouons jamais nos défauts que par vanité.

36. On ne trouve point dans l'homme le bien ni le mal dans l'excès.

37. Ceux qui sont incapables de commettre de grands crimes n'en soupçonnent pas facilement les autres.

38. La pompe des enterrements regarde plus la vanité des vivants que l'honneur des morts.

39. Quelque incertitude et quelque variété qui paraissent dans le monde, on y remarque néanmoins un certain enchaînement secret, et un ordre réglé de tout temps par la Providence, qui fait que chaque chose marche en son rang, et suit le cours de sa destinée.

40. L'intrépidité doit soutenir le cœur dans les conjurations, au lieu que la seule valeur lui fournit toute la fermeté qui lui est nécessaire dans les périls de la guerre.

41. Ceux qui voudraient définir la victoire par sa naissance seraient tentés comme les poètes de l'appeler la fille du Ciel, puisqu'on ne trouve point son origine sur la terre. En effet elle est produite par une infinité d'actions qui, au lieu de l'avoir pour but, regardent seulement les intérêts particuliers de ceux qui les font, puisque tous ceux qui composent une armée, allant à leur propre gloire et à leur élévation, procurent un bien si grand et si général.

42. On ne peut répondre de son courage quand on n'a jamais été dans le péril.

43. L'imitation est toujours malheureuse, et tout ce qui est contrefait déplaît avec les mêmes choses qui charment lorsqu'elles sont naturelles.

44. Il est bien malaisé de distinguer la bonté générale, et répandue sur tout le monde, de la grande habileté.

45. Pour pouvoir être toujours bon, il faut que les autres croient qu'ils ne peuvent jamais nous être impunément méchants.

46. La confiance de plaire est souvent un moyen de déplaire infailliblement.

47. La confiance que l'on a en soi fait naître la plus grande partie de celle que l'on a aux autres.

48. Il y a une révolution générale qui change le goût des esprits, aussi bien que les fortunes du monde.

49. La vérité est le fondement et la raison de la perfection, et de la beauté ; une chose, de quelque nature qu'elle soit, ne saurait être belle, et parfaite, si elle n'est véritablement tout ce qu'elle doit être, et si elle n'a tout ce qu'elle doit avoir.

50. Il y a de belles choses qui ont plus d'éclat quand elles demeurent imparfaites que quand elles sont trop achevées.

51. La magnanimité est un noble effort de l'orgueil par lequel il rend l'homme maître de lui-même pour le rendre maître de toutes choses.

52. Le luxe et la trop grande politesse dans les États sont le présage assuré de leur décadence parce que, tous les particuliers s'attachant à leurs intérêts propres, ils se détournent du bien public.

53. Rien ne prouve tant que les philosophes ne sont pas si persuadés qu'ils disent que la mort n'est pas un mal, que le tourment

qu'ils se donnent pour établir l'immortalité de leur nom par la perte de la vie.

54. De toutes les passions celle qui est la plus inconnue à nous-mêmes, c'est la paresse; elle est la plus ardente et la plus maligne de toutes, quoique sa violence soit insensible, et que les dommages qu'elle cause soient très cachés; si nous considérons attentivement son pouvoir, nous verrons qu'elle se rend en toutes rencontres maîtresse de nos sentiments, de nos intérêts et de nos plaisirs; c'est la rémore qui a la force d'arrêter les plus grands vaisseaux, c'est une bonace plus dangereuse aux plus importantes affaires que les écueils, et que les plus grandes tempêtes; le repos de la paresse est un charme secret de l'âme qui suspend soudainement les plus ardentes poursuites et les plus opiniâtres résolutions; pour donner enfin la véritable idée de cette passion, il faut dire que la paresse est comme une béatitude de l'âme, qui la console de toutes ses pertes, et qui lui tient lieu de tous les biens.

55. Il est plus facile de prendre de l'amour quand on n'en a pas, que de s'en défaire quand on en a.

56. La plupart des femmes se rendent plutôt par faiblesse que par passion; de là vient que pour l'ordinaire les hommes entreprenants réussissent mieux que les autres, quoiqu'ils ne soient pas plus aimables.

57. N'aimer guère en amour est un moyen assuré pour être aimé.

58. La sincérité que se demandent les amants et les maîtresses, pour savoir l'un et l'autre quand ils cesseront de s'aimer, est bien moins pour vouloir être avertis quand on ne les aimera plus que pour être mieux assurés qu'on les aime lorsque l'on ne dit point le contraire.

59. La plus juste comparaison qu'on puisse faire de l'amour, c'est celle de la fièvre; nous n'avons non plus de pouvoir sur l'un que sur l'autre, soit pour sa violence ou pour sa durée.

60. La plus grande habileté des moins habiles est de se savoir soumettre à la bonne conduite d'autrui.

Maxime retranchée après la deuxième édition

61. Quand on ne trouve pas son repos en soi-même, il est inutile de le chercher ailleurs.

Maximes retranchées après la quatrième édition

62. Comme on n'est jamais en liberté d'aimer, ou de cesser d'aimer, l'amant ne peut se plaindre avec justice de l'inconstance de sa maîtresse, ni elle de la légèreté de son amant.

63. Quand nous sommes las d'aimer, nous sommes bien aises qu'on nous devienne infidèle, pour nous dégager de notre fidélité.

64. Comment prétendons-nous qu'un autre garde notre secret si nous ne pouvons le garder nous-mêmes ?

65. Il n'y en a point qui pressent tant les autres que les paresseux lorsqu'ils ont satisfait à leur paresse, afin de paraître diligents.

66. C'est une preuve de peu d'amitié de ne s'apercevoir pas du refroidissement de celle de nos amis.

67. Les rois font des hommes comme des pièces de monnaie ; ils les font valoir ce qu'ils veulent, et l'on est forcé de les recevoir selon leur cours, et non pas selon leur véritable prix.

68. Il y a des crimes qui deviennent innocents et même glorieux par leur éclat, leur nombre et leur excès. De là vient que les voleries publiques sont des habiletés, et que prendre des provinces injustement s'appelle faire des conquêtes.

69. On donne plus aisément des bornes à sa reconnaissance qu'à ses espérances et qu'à ses désirs.

70. Nous ne regrettons pas toujours la perte de nos amis par la considération de leur mérite, mais par celle de nos besoins et de la bonne opinion qu'ils avaient de nous.

71. On aime à deviner les autres; mais l'on n'aime pas à être deviné.

72. C'est une ennuyeuse maladie que de conserver sa santé par un trop grand régime.

73. On craint toujours de voir ce qu'on aime, quand on vient de faire des coquetteries ailleurs.

74. On doit se consoler de ses fautes, quand on a la force de les avouer.

Maximes posthumes

Maximes fournies par le manuscrit de Liancourt

1. Comme la plus heureuse personne du monde est celle à qui peu de choses suffit, les grands et les ambitieux sont en ce point les plus misérables qu'il leur faut l'assemblage d'une infinité de biens pour les rendre heureux.

2. La finesse n'est qu'une pauvre habileté.

3. Les philosophes ne condamnent les richesses que par le mauvais usage que nous en faisons ; il dépend de nous de les acquérir et de nous en servir sans crime et, au lieu qu'elles nourrissent et accroissent les vices, comme le bois entretient et augmente le feu, nous pouvons les consacrer à toutes les vertus et les rendre même par là plus agréables et plus éclatantes.

4. La ruine du prochain plaît aux amis et aux ennemis.

5. Chacun pense être plus fin que les autres.

6. On ne saurait compter toutes les espèces de vanité.

7. Ce qui nous empêche souvent de bien juger des sentences qui prouvent la fausseté des vertus, c'est que nous croyons trop aisément qu'elles sont véritables en nous.

8. Nous craignons toutes choses comme mortels, et nous désirons toutes choses comme si nous étions immortels.

9. Dieu a mis des talents différents dans l'homme comme il a planté de différents arbres dans la nature, en sorte que chaque talent de même que chaque arbre a ses propriétés et ses effets qui lui sont tous particuliers ; de là vient que le poirier le meilleur du monde ne saurait porter les pommes les plus communes, et que le talent le plus excellent ne saurait produire les mêmes effets des

talents les plus communs; de là vient encore qu'il est aussi ridicule de vouloir faire des sentences sans en avoir la graine en soi que de vouloir qu'un parterre produise des tulipes quoiqu'on n'y ait point semé les oignons.

10. Une preuve convaincante que l'homme n'a pas été créé comme il est, c'est que plus il devient raisonnable et plus il rougit en soi-même de l'extravagance, de la bassesse et de la corruption de ses sentiments et de ses inclinations.

11. Il ne faut pas s'offenser que les autres nous cachent la vérité puisque nous nous la cachons si souvent nous-mêmes.

12. Rien ne prouve davantage combien la mort est redoutable que la peine que les philosophes se donnent pour persuader qu'on la doit mépriser.

13. Il semble que c'est le diable qui a tout exprès placé la paresse sur la frontière de plusieurs vertus.

14. La fin du bien est un mal; la fin du mal est un bien.

15. On blâme aisément les défauts des autres, mais on s'en sert rarement à corriger les siens.

16. Les biens et les maux qui nous arrivent ne nous touchent pas selon leur grandeur, mais selon notre sensibilité.

17. Ceux qui prisent trop leur noblesse ne prisent d'ordinaire pas assez ce qui en est l'origine.

18. Le remède de la jalousie est la certitude de ce qu'on craint, parce qu'elle cause la fin de la vie ou la fin de l'amour; c'est un cruel remède, mais il est plus doux que les doutes et les soupçons.

19. Il est difficile de comprendre combien sont grandes la ressemblance et la différence qu'il y a entre tous les hommes.

20. Ce qui fait tant disputer contre les maximes qui découvrent le cœur de l'homme, c'est que l'on craint d'y être découvert.

21. L'homme est si misérable que, tournant toutes ses conduites à satisfaire ses passions, il gémit incessamment sous leur tyrannie ; il ne peut supporter ni leur violence ni celle qu'il faut qu'il se fasse pour s'affranchir de leur joug ; il trouve du dégoût non seulement dans ses vices, mais encore dans leurs remèdes, et ne peut s'accommoder ni des chagrins de ses maladies ni du travail de sa guérison.

22. Dieu a permis, pour punir l'homme du péché originel, qu'il se fît un dieu de son amour-propre pour en être tourmenté dans toutes les actions de sa vie.

23. L'espérance et la crainte sont inséparables, et il n'y a point de crainte sans espérance ni d'espérance sans crainte.

24. Le pouvoir que les personnes que nous aimons ont sur nous est presque toujours plus grand que celui que nous y avons nous-mêmes.

25. Ce qui nous fait croire si facilement que les autres ont des défauts, c'est la facilité que l'on a de croire ce qu'on souhaite.

26. L'intérêt est l'âme de l'amour-propre, de sorte que, comme le corps, privé de son âme, est sans vue, sans ouïe, sans connaissance, sans sentiment et sans mouvement, de même l'amour-propre séparé, s'il le faut dire ainsi, de son intérêt, ne voit, n'entend, ne sent et ne se remue plus ; de là vient qu'un même homme qui court la terre et les mers pour son intérêt devient soudainement paralytique pour l'intérêt des autres ; de là vient le soudain assoupissement et cette mort que nous causons à tous ceux à qui nous contons nos affaires ; de là vient leur prompte résurrection lorsque dans notre narration nous y mêlons quelque chose qui les regarde ; de sorte que nous voyons dans nos conversations et dans nos traités que dans un même moment un homme perd connaissance et revient à soi, selon que son propre intérêt s'approche de lui ou qu'il s'en retire.

Maximes fournies par des lettres

27. On ne donne des louanges que pour en profiter.

28. Les passions ne sont que les divers goûts de l'amour-propre.

29. L'extrême ennui sert à nous désennuyer.

30. On loue et on blâme la plupart des choses parce que c'est la mode de les louer ou de les blâmer.

31. Il n'est jamais plus difficile de bien parler que lorsqu'on ne parle que de peur de se taire.

Maximes fournies par l'édition hollandaise de 1664

32. Si on avait ôté à ce qu'on appelle force le désir de conserver, et la crainte de perdre, il ne lui resterait pas grand-chose.

33. La familiarité est un relâchement presque de toutes les règles de la vie civile, que le libertinage a introduit dans la société pour nous faire parvenir à celle qu'on appelle commode. C'est un effet de l'amour-propre qui, voulant tout accommoder à notre faiblesse, nous soustrait à l'honnête sujétion que nous imposent les bonnes mœurs et, pour chercher trop les moyens de nous les rendre commodes, le fait dégénérer en vices. Les femmes, ayant naturellement plus de mollesse que les hommes, tombent plutôt dans ce relâchement, et y perdent davantage : l'autorité du sexe ne se maintient pas, le respect qu'on lui doit diminue, et l'on peut dire que l'honnête y perd la plus grande partie de ses droits.

34. La raillerie est une gaieté agréable de l'esprit, qui enjoue la conversation, et qui lie la société si elle est obligeante, ou qui la trouble si elle ne l'est pas. Elle est plus pour celui qui la fait que pour celui qui la souffre. C'est toujours un combat de bel esprit, que produit la vanité ; d'où vient que ceux qui en manquent pour la soutenir, et ceux qu'un défaut reproché fait rougir, s'en offensent également, comme d'une défaite injurieuse qu'ils ne

sauraient pardonner. C'est un poison qui tout pur éteint l'amitié et excite la haine, mais qui corrigé par l'agrément de l'esprit, et la flatterie de la louange, l'acquiert ou la conserve ; et il en faut user sobrement avec ses amis et avec les faibles.

Maximes fournies par le supplément de l'édition de 1693

35. Force gens veulent être dévots, mais personne ne veut être humble.

36. Le travail du corps délivre des peines de l'esprit, et c'est ce qui rend les pauvres heureux.

37. Les véritables mortifications sont celles qui ne sont point connues ; la vanité rend les autres faciles.

38. L'humilité est l'autel sur lequel Dieu veut qu'on lui offre des sacrifices.

39. Il faut peu de choses pour rendre le sage heureux ; rien ne peut rendre un fol content ; c'est pourquoi presque tous les hommes sont misérables.

40. Nous nous tourmentons moins pour devenir heureux que pour faire croire que nous le sommes.

41. Il est bien plus aisé d'éteindre un premier désir que de satisfaire tous ceux qui le suivent.

42. La sagesse est à l'âme ce que la santé est pour le corps.

43. Les grands de la terre ne pouvant donner la santé du corps ni le repos d'esprit, on achète toujours trop cher tous les biens qu'ils peuvent faire.

44. Avant que de désirer fortement une chose, il faut examiner quel est le bonheur de celui qui la possède.

45. Un véritable ami est le plus grand de tous les biens et celui de tous qu'on songe le moins à acquérir.

46. Les amants ne voient les défauts de leurs maîtresses que lorsque leur enchantement est fini.

47. La prudence et l'amour ne sont pas faits l'un pour l'autre : à mesure que l'amour croît, la prudence diminue.

48. Il est quelquefois agréable à un mari d'avoir une femme jalouse : il entend toujours parler de ce qu'il aime.

49. Qu'une femme est à plaindre, quand elle a tout ensemble de l'amour et de la vertu !

50. Le sage trouve mieux son compte à ne point s'engager qu'à vaincre.

51. Il est plus nécessaire d'étudier les hommes que les livres.

52. Le bonheur ou le malheur vont d'ordinaire à ceux qui ont le plus de l'un ou de l'autre.

53. On ne se blâme que pour être loué.

54. Il n'est rien de plus naturel ni de plus trompeur que de croire qu'on est aimé.

55. Nous aimons mieux voir ceux à qui nous faisons du bien que ceux qui nous en font.

56. Il est plus difficile de dissimuler les sentiments que l'on a que de feindre ceux que l'on n'a pas.

57. Les amitiés renouées demandent plus de soins que celles qui n'ont jamais été rompues.

58. Un homme à qui personne ne plaît est bien plus malheureux que celui qui ne plaît à personne.

Maximes fournies
par des témoignages de contemporains

59. L'enfer des femmes, c'est la vieillesse.

60. Les soumissions et les bassesses que les seigneurs de la Cour font auprès des ministres qui ne sont pas de leur rang sont des lâchetés de gens de cœur.

61. L'honnêteté [n'est] d'aucun état en particulier, mais de tous les états en général.

Table des matières

Achevé d'imprimer en Italie par Grafica Veneta
en janvier 2014
Dépôt légal janvier 2014
EAN 9782290058954
OTP L21ELLN000523N001

—

Ce texte est composé en Lemonde journal et en Akkurat

—

Conception des principes de mise en page :
mecano, Laurent Batard

—

Composition : PCA

—

ÉDITIONS J'AI LU
87, quai Panhard-et-Levassor, 75013 Paris
Diffusion France et étranger : Flammarion

Librio

1077